SIBÉRIE
RUSSIE
ASIE
EUROPE
AFRIQUE
Laponie
Finlande
MONGOLIE
MANDCHOURIE
Gd Désert de Gobi ou Chamo
Turkestan
TIBET
PERSE
INDE
ARABIE
ÉGYPTE
ABYSSINIE
CONGO
MADAGASCAR
TRANSVAAL
COLONIE DU CAP
MER DE BERING
MER D'OKHOTSK
Iles Aléoutiennes
Antarctique
JUNHO
JULHO
AGOSTO
SETEMBRO
OUTUBRO
CANIS MINOR
Procyon
Betelgeuse
ORION
Bellatrix
CANCER
LICORNE
Sirius
Rigel
LEPUS
CANIS MAJOR
Regulus
PUPPIS
COLUMBAE
Equator
Canopus
HYDRUS II
VELA
Grande Nuvem de Magalhães
RETICULUM
Denebola
VOLANS
HYDRUS I
Pequena Nuvem de Magalhães
CORVUS
Polo Sul
TUCANA
VIRGO
Spica
LUPUS
PAVO
CORONA AUSTRALIS

AS JANELAS DO PARATII

AS JANELAS DO PARATII

AMYR KLINK

PROJETO GRÁFICO
HÉLIO DE ALMEIDA

COMPANHIA DAS LETRAS

Projeto Gráfico
Hélio de Almeida

Dados Internacionais de Catalogação na Publicação (CIP)
(Câmara Brasileira do Livro, SP, Brasil)

Klink, Amyr, 1955-
As janelas do Paratii / Amyr Klink. — São Paulo : Companhia das Letras, 1993.

ISBN 85-7164-351-2

1. Antártica - Descrição e viagens
2. Fotografias - Antártica
3. Klink, Amyr, 1955-
4. Paratii (Barco)
5. Viagens marítimas I. Título.

93-2830 CDD-910.9167

Índices para catálogo sistemático:
1. Regiões antárticas : Viagens marítimas : Narrativas pessoais 910.9167
2. Viagens marítimas : Regiões antárticas : Narrativas pessoais 910.9167

1993

EDITORA SCHWARCZ LTDA.
Rua Tupi, 522
01233-000 - São Paulo - SP
Telefone: (011) 826-1822
Fax: (011) 826-5523

PARA A  CABELUDA.

ÍNDICE

AS JANELAS DO PARATII, 11

Quinze mil horas de caldeiraria..., 12
A primeira colisão, 15
Será aqui..., 19
Encontro com a escuna azul
na península antártica, 22
Uma máquina de viajar que se chama Paratii, 25
Gelo à proa!, 26
Latitude 64°49' Sul, longitude 63°30' Oeste.
Baía Dorian, 29
Ancorado em país nenhum..., 30
Barcos passantes..., 33
Depois do vento..., 35
Cristais do tempo, 36
Declinação norte..., 40
"Capotamos"..., 45
O mar desaparece, 47
A fábrica de água, 51
Caminhando sobre o mar, 53
Um lampião "Aladdin", 60
Saudades do sol, 64
Instrumentos do tempo, 70
Dia de banho, 72
Terraplenagem a bordo, 75
Sete graus negativos, 77
Conserto do leme, 78
O mar se aproxima, 80
Novos habitantes, 85
Construtores de ninhos, 91
Port Lockroy, 92
Novo calendário, 94
Pedrinha por pedrinha..., 98
Um encontro combinado, 103
Um barco outra vez!, 106
Voando entre as escalas, 111
Olhando para o sul, 113
Ainda ancorado..., 116
Plano em voz alta, 121
Um barco que sabe para onde vai, 122
O remo de Paraty, 130
Janeiro 1991, 137
Outra vez para o sul, 140

O MAIS PRÓXIMO VERÃO, 147

O raio verde, 148
Cape Town...*Færoe*, 151
Gelo à vista, 153
De volta ao gelo,156
Quase..., 158
Aguardando o degelo, 163
Björnhamna, latitude 79° Norte, 165
Barcos, 167
Moffen, 168
Uma coroa de pedrinhas, 172
Adeus, grande norte, 174
"Mar Frio", 176
Latitude 44°40' Oeste, longitude 23°12' Sul.
Jurumirim outra vez, 179
Partir, 181

ÍNDICE DE MAPAS

As janelas do Paratii - encarte
A rota do Paratii na Antártica, 8
Baía Dorian, 19
Mutton Cove, 137
A rota do Paratii no Ártico, 144

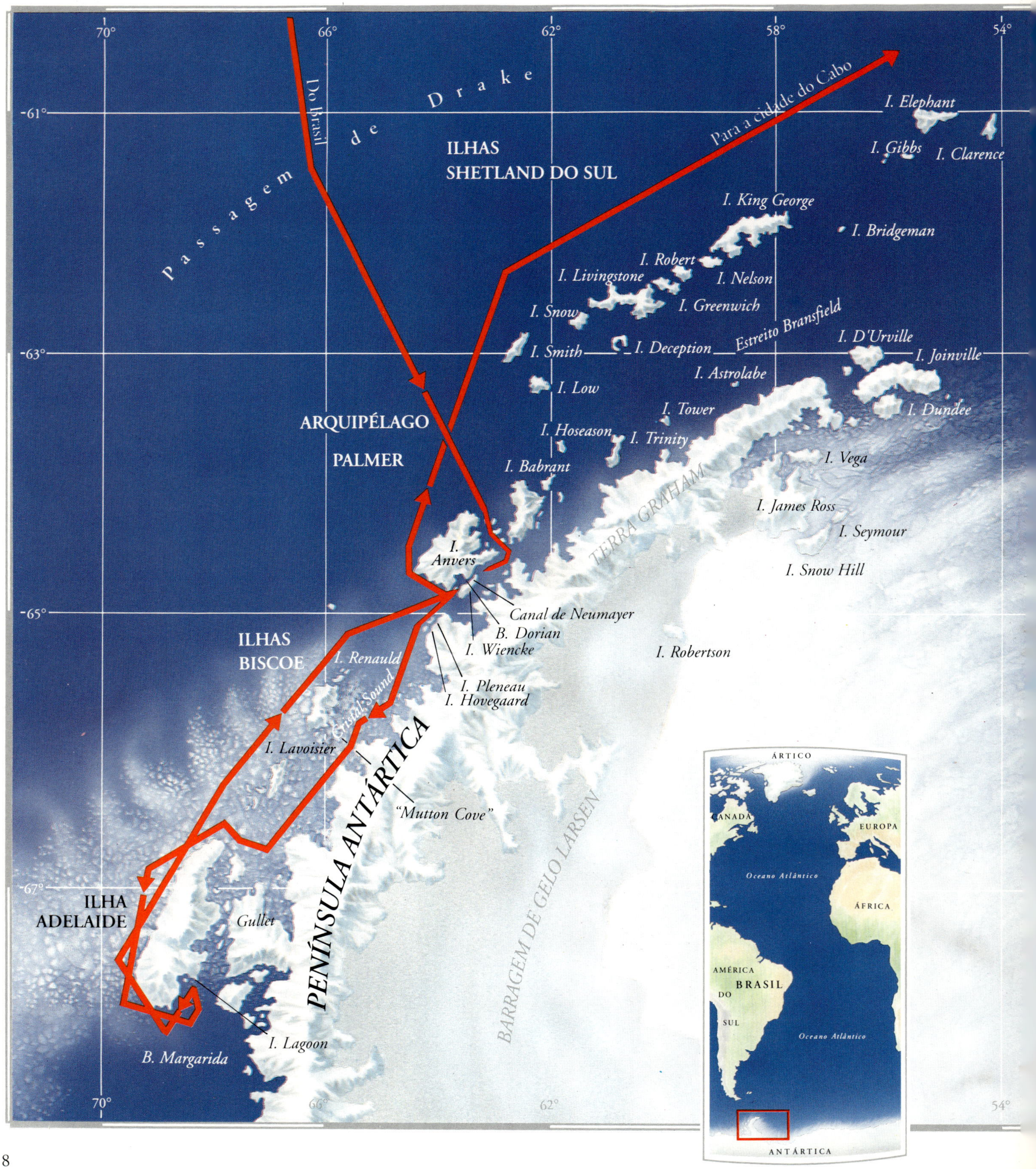
Passagem de Drake
Do Brasil
Para a cidade do Cabo
ILHAS SHETLAND DO SUL
I. Elephant
I. Gibbs
I. Clarence
I. King George
I. Bridgeman
I. Robert
I. Livingstone
I. Nelson
I. Snow
I. Greenwich
Estreito Bransfield
I. Smith
I. Deception
I. D'Urville
I. Joinville
I. Astrolabe
I. Low
I. Tower
I. Dundee
ARQUIPÉLAGO PALMER
I. Hoseason
I. Trinity
I. Vega
I. Babrant
TERRA GRAHAM
I. James Ross
I. Seymour
I. Anvers
I. Snow Hill
Canal de Neumayer
B. Dorian
I. Wiencke
I. Robertson
ILHAS BISCOE
I. Renauld
I. Pleneau
I. Hovegaard
Cristal Sound
I. Lavoisier
PENÍNSULA ANTÁRTICA
"Mutton Cove"
BARRAGEM DE GELO LARSEN
ILHA ADELAIDE
Gullet
I. Lagoon
B. Margarida
70°
66°
62°
58°
54°
-61°
-63°
-65°
-67°
ÁRTICO
CANADÁ
EUROPA
Oceano Atlântico
ÁFRICA
AMÉRICA DO SUL
BRASIL
Oceano Atlântico
ANTÁRTICA

A ROTA DO PARATII NA ANTÁRTICA

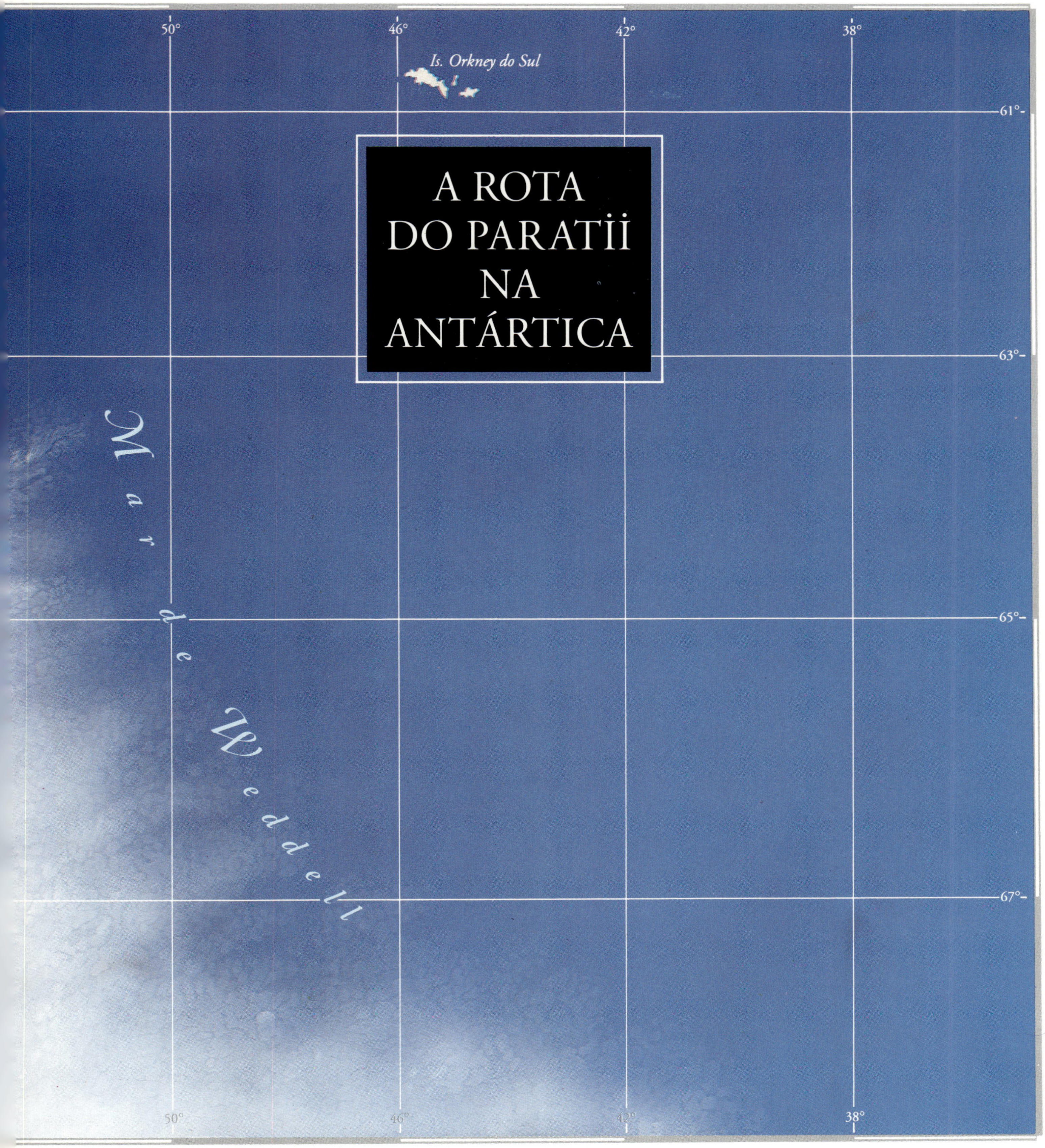

As Janelas do Paratii

Pelas janelas de um barco faz-se o mundo passar. Que me desculpem os entendidos com seus rigores técnicos e nomes precisos — mais do que escotilhas, gaiútas ou vigias, o meu barco tem porta e janelas. Sete, grandes e claras, por onde, trabalhando as velas e juntando milhas, fiz passar as latitudes e paisagens que procurei. E uma porta, por onde passei mais vezes do que sei. Sete janelas, uma para cada mar, voltadas para os lados e para a frente, que transformaram distâncias em tempo, fizeram do desconhecido o seu porto e, ao final, não se fecharam em porto nenhum.

Vinte e dois meses viajando no *Paratii*, atravessando nos alísios as areias do Saara ou marcando de gelo o alumínio do costado, descobri que apenas para isso serve um barco.

Para não viver em portos, e navegar. Para fazer passar por suas janelas o mundo, e, um dia, voltar.

DEZEMBRO 1987

Quinze mil horas de caldeiraria...

E ainda tão longe do mar. Mas cada hora de trabalho tem seu preço na construção de uma viagem.

Em meio a um oceano de máquinas, plantas e desenhos, as dezesseis toneladas de chapas metálicas ganham uma forma familiar.

Em alguns dias a carcaça metálica, com quinze metros de comprimento e cinco de altura, vai embarcar nas costas de um caminhão, navegar em seco pela cidade de São Paulo até um outro estaleiro, para receber pintura, os primeiros equipamentos e a cara de um barco de verdade.

Com o convés soldado a um barco ainda sem nome, aguardando a sua futura cor – o vermelho.

O soldador Maia instala
os tubos de esgotamento e admissão
abaixo da linha-d'água.

A primeira colisão

Soldar alumínio, uma arte que exige talento. Poucas mãos têm trabalhado aqui, e pelo estilo dos cordões terminados é possível identificar quem os desenhou.

A posição de suportes e reforços já está marcada com tinta azul, na verdade poucos. A idéia é fazer de casco e convés um conjunto solidário e forte, sem cavernas ou grandes estruturas internas, e permitir que no caso de colisão ou pressão do gelo as chapas se deformem em vez de rasgarem. O primeiro teste virá, acidentalmente, muito antes do primeiro gelo.

Desastre! Um dos guinchos tomba durante o transporte e o barco despenca ladeira abaixo. Um casco que, cedo, mostra sua força. ▸

JANEIRO 1986

Será aqui...

Procurar ancoradouros livres de gelos à deriva é uma preocupação permanente.

O reencontro com o veleiro *Kotic*, experiente e bom conhecedor de abrigos antárticos, vira uma festa de notícias e informações.

Da última vez que os vi... no Brasil..., havia árvores e calor ao redor.

Daqui, o mundo parece um lugar distante onde todos se conhecem.

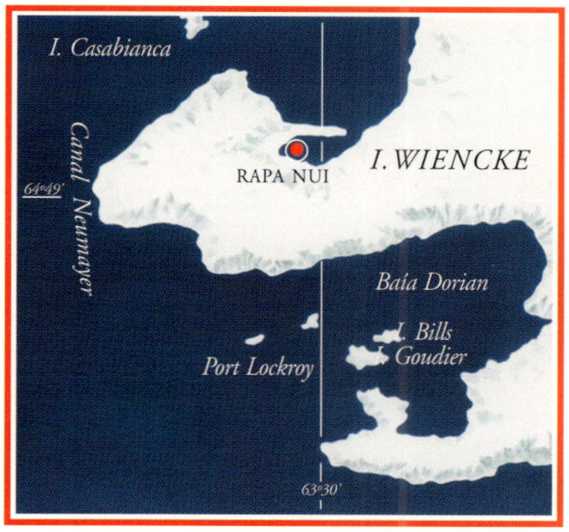

Baía Dorian, ilha Wiencke, lugar escolhido para a futura invernagem e para onde o Rapa Nui *retornará.*

A escuna azul deixa a Antártica e encontra as ondas do Drake. ▸

JANEIRO 1986

Encontro com a escuna azul na península antártica

Tão forte quanto a visão do primeiro iceberg é a lembrança do último. Faz três dias que deixamos o país dos Grandes Gelos, três dias de ventos fortes, mar alto e poucas palavras a bordo do *Rapa Nui.*

A escuna azul navega para o norte, em pleno Drake, com a graça de um *wandering albatross.*

Às 10:45 GMT da sexta-feira, 28 de janeiro, exatamente à proa, aponta o cabo: "Horn à vista!", gritei a plenos pulmões. Às 13 horas dobramos a famosa pedra para ancorar na ilha de Wollastone, a caminho do canal de Beagle e de volta à civilização.

Em apenas algumas semanas, tamanha mudança de planos. Meu futuro barco não nasceu ainda, mas agora sei, precisamente, como será.

A passagem do cabo Horn a bordo da escuna Rapa Nui *encerrou uma temporada antártica de precioso aprendizado.*

AGOSTO 1989

Uma máquina de viajar que se chama "Paratii"

A quatro meses
da partida
definitiva do Brasil,
a velejada inaugural
e o momento de maior tensão
do projeto.

Grande parte dos
equipamentos está a bordo...
ainda aguardam embarque
os quarenta meses
de suprimentos
e o combustível para
o inverno. Nervoso nas
manobras do cais, impecável
no mar, o *Paratii* transmite
confiança e força. E mostra
não gostar de portos.

Retornando ao canal
de Santos após o teste
do piloto automático,
a colisão com uma rede
de arrasto é o primeiro aviso.
E, apesar do susto,
um bom sinal.

Daqui em diante, por um
bom tempo, o meu barco
vermelho viverá longe
de outros barcos
e de qualquer porto.

*No dia 30 de agosto,
a ilha da Moela,
testemunha do primeiro teste
de mar do* Paratii.

JANEIRO 1990

Gelo à proa!

Às 21:30 GMT do dia 25, quinta-feira, discreto e cristalino frio de +4°C, o Drake subitamente se acalmou e o vento adormeceu. À proa surge uma ilha flutuante e pálida, o primeiro iceberg do *Paratii*.

No rumo 95°, por bombordo, terra à vista: as escarpas da ilha Smith, cujo topo coberto de neve se esconde numa névoa particular.

Vinte e cinco dias de travessia sem escalas desde os coqueiros de Jurumirim, poucos sustos, nenhum problema.

Os albatrozes do Drake ficaram para o norte e já não farão companhia durante os dias de mau tempo. Dias mais longos e claros a cada grau de latitude para o sul. A baía Dorian, meu objetivo, está 120 milhas adiante.

Grandes icebergs confundem-se com ilhas e são inofensivos. O problema está nos pequenos gelos ao redor que, submersos e quase invisíveis, podem acertar o casco.

JANEIRO 1990

Latitude 64°49' Sul,
Longitude 63°30' Oeste.
Baía Dorian

Não há tempo para visitar os pingüins, que observam curiosos a estranha máquina vermelha que acaba de ancorar. A maré está baixa e a maior parte dos gelos ao redor continuam encalhados.

Preparo os quatro cabos que serão fixados, com correntes, às pedras que encontrei descobertas.

O alinhamento ideal em relação aos ventos fortes parece ser nordeste/sudoeste, mas só o tempo e as tempestades dirão.

Uma grande colônia de pingüins gentoos habita a península que forma a baía Dorian. Os recifes ao norte impedem a aproximação de gelos indesejáveis e deixam apenas uma garganta estreita para a passagem de um veleiro.

JANEIRO 1990

Ancorado em país nenhum...

Trabalho o mais rápido que posso. Estranha sensação a de ver montanhas fixas ao redor, de não balançar após vinte e seis dias de travessia.

Há cheiros novos no ar, gelos de muitas cores e sons que não existem em alto-mar.

A baía Dorian é um lugar pequeno e especial e por um ano inteiro será o endereço do *Paratii.*

Seiscentos metros de cabos especiais serão usados para impedir que rajadas de vento atirem o barco às pedras.

O belíssimo Jantine, *primeiro visitante, com um bem vivido casal de holandeses, que ganhou de presente um dos meus remos feito em Paraty.*

Adernando o pequeno Theoros *para limpeza do casco. Duas semanas antes eu os avistei a umas cem milhas ao sul do cabo Horn, num raro encontro.*

FEVEREIRO 1990

Barcos passantes...

E animais curiosos têm se aproximado do *Paratii*: quase sempre por pouco tempo. Trabalho como um remador de galés, transferindo diesel dos tanques flexíveis para os tanques de inverno e abrindo um pouco de espaço nos porões. O depósito de suprimentos da popa passou para a proa e as saídas de motor e gerador, agora mais altas, estão livres de congelamento. Ontem, durante uma rajada de vento, um dos cabos de atracação acabou arrancado da pedra sul e foi para o fundo da baía.

Tenho que encontrar uma pedra melhor para segurar o barco e um pouco de tempo para visitar, com calma, os barulhentos vizinhos de penas e casaca que moram na península em frente.

As brancas chionis *vivem dos restos dos pingüins.*

MARÇO 1990

Depois do vento...

Um dia cristalino
de raro silêncio.
Ouço apenas
o estalo agudo
e fino de gelos que vão
passando em frente à baía.
Verdadeiro desfile de formas
e cores. Parece não ter fim
nem paz a criatividade
dos desenhistas de icebergs.
Gelos atormentados,
imensos como ilhas, lisos
ou fraturados, às vezes
sonolentos; um atrás do outro,
aos milhares, vão compondo
a minha paisagem, nunca
branca ou monótona.
O mar continua tentador
e líquido como na Polinésia,
mas no interior, tubulações
e tanques de água congelaram
há semanas.

Pequeno iceberg encalhado
a vinte e cinco metros
de profundidade,
no lado extremo da baía Dorian.

MARÇO 1990

Cristais do Tempo

A mina de água sobre as pedras escuras, onde funcionava a “lavanderia”, transformou-se num espelho de vidro.

Todas as águas vão se cristalizando e mesmo a água salgada dos motores já foi drenada por precaução. Os dias de sol tímido, as nevascas noturnas e o silêncio dos pingüins são sinais de um verão que termina.

Não tenho a menor idéia do que vai se passar até o próximo, apenas uma certeza: não há mais como voltar atrás.

Variações de umidade e temperatura deixam marcas diferentes nos equipamentos externos.

O casco do Paratii *aguarda*
o congelamento que o imobilizará
por nove meses.

Pancake-ice,
um mar que está prestes
a se imobilizar por completo. ▸

MARÇO 1990

Declinação norte...

Um sol, a cada dia mais raro e exuberante, despede-se aos poucos das montanhas da ilha Wiencke.

Troquei os óculos escuros por uma blusa a mais sob o casaco.

O frio não tem passado de –10°C e não incomoda.

O que perturba agora é essa foca-leopardo que resolveu atacar o bote de borracha e me obriga a suspendê-lo no convés todas as noites.

O canal de Neumayer congela e fratura-se num movimento contínuo e desordenado provocado por correntes de superfície.

MARÇO 1991

"Capotamos"...

Notícias chegam pelo rádio. O veleiro *Kotic,* que partiu para a América do Sul há uma semana com seis amigos e a minha correspondência, capotou ontem, ao largo da ilha de Deception, trezentas milhas ao norte. Estão todos bem.

Estranho esse clima aqui, era um dia de sol e preguiçosa calmaria. O *Oviri,* com alguns pequenos gelos, será o último visitante da baía Dorian antes do inverno.

Hugo, o seu único tripulante, me deu de presente um atlas chileno de navegação, com perto de quatrocentas cartas náuticas reproduzidas, mas faltando apenas as onze cartas antárticas. Exatamente as onze que eu tenho em duplicata a bordo. Coincidências que se encaixam sem explicação.

O Oviri, *também em solitário, será o último veleiro a visitar a baía Dorian antes do congelamento definitivo.*

Com o relativo calor de +2ºC, a neve que cai derrete e engrossa o gelo marinho com água doce.

O mar desaparece

Nevou a noite toda, sem uma gota de vento. Flocos grandes cobriram o barco e a baía. Pela manhã o *Paratii* estava imóvel numa placa de gelo novo. Arrisquei uma rápida volta com os esquis sobre o mar. Ainda está fino o gelo, melhor aguardar uns dias.

O bote grande de borracha já não tem utilidade e vai para o porão desmontado. Adeus passeios náuticos em alta velocidade até Port Lockroy e ilha Doumer. Começa a temporada de esquis e trenó sobre o mar congelado.

A baía de Port Lockroy, mais sujeita a correntes, tem um congelamento tardio a partir de abril/maio.

...E o Paratii *amanhece num mar sólido.* ▸

PARATII
D3 O

PARATII
D3 0

ABRIL 1990

A fábrica de água

Um som agudo e melancólico me arrancou da cama mais cedo. Não, não há ninguém triste ao redor, apenas o gelo que canta e chora num sinal de que há pressão entre as placas de mar. Enquanto elas agüentarem inteiras não há risco para o casco, apenas este estranho ruído entre metal e gelo tenso, que lembra um carro puxado por bois.

A tempestade de ontem carregou toda a neve e deixou liso o meu campo de mar sólido. A temperatura caiu, o tempo acalmou-se e a vida voltou ao normal.

Sem combustível não há água: a neve trazida em baldes para a "fábrica", sobre o aquecedor, transforma-se lentamente em água potável.

Na parte abrigada da baía,
o gelo forma-se primeiro.

MAIO 1990

Caminhando sobre o mar

Cabos e corrente perdem-se numa placa interminável de gelo. O *Paratii* agora faz parte de uma paisagem nova e dela se separará apenas quando o gelo partir, em sete ou oito meses.

Os únicos vestígios humanos são os rastros dos meus esquis que vão ficando em todas as direções. Em breve não haverá mais sol.

As poucas horas de claridade quase não são suficientes para se fazer todas as tarefas de um dia antártico.

A superfície branca do mar congelado que reflete o sol...

...em pouco tempo vai revelar que existem outras fontes de luz ainda mais espetaculares do que o "Old Jamaica". ▸

VILLARES

PARATII
D30

Um lampião "Aladdin"

Dei um grito forte e seco como sempre faço antes de dormir, à procura de novos ecos e — surpresa — do lado escuro da baía voltou uma resposta conhecida. Pingüins! — afinal, nem todos se foram, e um grupo se instalou para o inverno.

Nestes dias escuros, sem lua ou estrelas, passo muito tempo na mesa de pilotagem, lampião ao lado, esfregando as mãos, estudando uma rota para o verão, que, seis meses à frente, parece tão próximo. O tempo, escuro ou não, passa na velocidade do que há para fazer, cada vez mais rápido.

O lampião "Aladdin", silencioso e eficiente, atravessou todo o inverno aceso.

...E foi a fonte de luz para preencher as páginas do diário. ▸

SEG. 18 JUN. 90

-6 +3

- TEMPO. HORRÍVEL
- VENTO W 20/25 NÓS
- VISIB. RUIM

- AMANHECEU E CAFÉ COMPLETO

- 1 HORA DE DESFILE MANUAL P/ LEVANTAR O ÂNIMO.

- INCRÍVEL! FUNCIONOU: VAMOS ATACAR O MOTOR. E VOLTAR A MONTAR A ENTR. D'ÁGUA SALGADA.

19.30	20.30
89061	89061
?	11669
?	53406
?	11049
11044	21086
	49892
4	58003
	69904

- APENAS OUÇO A RESPIRAÇÃO DE UMA FOCA... UM VENTO GELADO AINDA. POUCO IMPORTA TRABALHAR NO PORÃO É BOM POR ISSO - O TEMPO POUCO IMPORTA

1 60cm 1

0,1176

CARGA C/ MOTOR 3 HORAS.

MID WINTER

DIA 21 JUN. 90 — -4,5° — +1,5

PRESS. M. 14.02
λ↑ L 14
HMG 16.16
DEC. 23°26,5 N
+ 84 49
1°44,5

T. ENCOBERTO

V. RONDANDO E CALMARIAS ESTRANHAS

BARO MALUCO

MIN. 953 ÀS 04:10

- NENHUM GELO SALVO 2 ILHAS PRESAS NOS CABOS DA POPA
- ÀS 4:10 ASSISTI A UM ESTRANHO SALTO NOS BARÔMETROS

- ALT. MERID. SOL 1°44,5 NORTE.

SUPER FEIJOADA, FORTE C/ SALADA FRESCA..

HAPPY MID WINTER!!!

2 PINGUINS AINDA AQUI P/ O MID WINTER...

20:30
89001
N/08
90926
11022
21054
49628

É INCRÍVEL, A ILHA DE GELO NA QUAL ESTOU PRESO É INDESTRUTÍVEL. GOSTARIA Q. ELA PARTISSE EM PAZ, SEM OS MEUS CABOS.

JULHO 1990

Saudades do sol

Calor, vento
e caos outra vez.
As calmarias
têm seu preço aqui.
Terceiro dia de ensurdecedora
pancadaria. A baía fraturou-se
toda e os pedaços de gelo
chocam-se entre si e contra
o casco. Sessenta nós soprando
de noroeste, empurrando
tudo para cima das pedras
e a impressão de viajar numa
locomotiva fora dos trilhos.

Ainda pior que a força
do vento são as rajadas
e súbitas paradas... alguns
segundos de silêncio...
e o espetáculo recomeça.

Não há nada
a fazer a não ser vigiar
os acontecimentos.
A mastreação entrou
em ressonância com o vento
numa escandalosa vibração.
Passei tensores nos estais,
parece funcionar.

O mais difícil de tudo
é esperar. Imóvel.

*Visitantes lentos,
gelos viajantes e um barco
impaciente para tocar
o primeiro raio de sol.*

VILLARES

PARATii
D3 O

Instrumentos do tempo

Com a mesma
intensidade
das tempestades
muda a paisagem.
Uma grossa e luminosa
neblina cobriu o *Paratii*,
e um silêncio tão raro tomou
conta da baía. As batidas
com a pá de neve no guincho
da proa ecoam quatro vezes
em geleiras diferentes.
O barógrafo continua
incrivelmente baixo, mas
o tempo é bom.

Terminei, enfim,
a fabricação de uma nova cana
de leme para substituir a que
foi quebrada em maio. Muito
melhor que a original.

Em Faraday, os ingleses
estão assistindo ao filme
My life as a dog;
acabo de descobrir no rádio,
sem a menor curiosidade.
O retorno do sol, após
cinqüenta e oito dias
de ausência, é o maior filme
a que posso assistir pelas
minhas sete janelas.

Os instrumentos de meteorologia
registram fenômenos
curiosos do clima antártico.

Dia de banho

Foi preciso uma heróica determinação para me extrair do saco de dormir num domingo cinzento como esse! Vento, frio, montanhas de neve caindo, gelo batendo e o gerador ainda bloqueado! Dia para se passar em casa.

Os cabos do convés e as amarras endureceram com a umidade e ancoraram numa nova ilha de gelo que está colada no casco. Mas um formidável bom humor reina a bordo.

A expedição de ontem até a âncora, por baixo do gelo, foi um sucesso. Os cabos estão intactos, o barco firme. Aqui dentro faz um confortável calor, a horta funciona a todo vapor com a volta do sol, e o cheiro de pão quente, saindo do forno, invade os meus domínios.

Um banho quente em preparação no banheiro de proa.

Molduras de styrofoam e um filme plástico nas janelas eliminaram por completo a condensação e trouxeram um ganho de 3ºC na temperatura interna.

Portas isolantes prendem o calor no salão principal, permitindo grande economia de combustível.

Uma cozinha funcional projetada para toda espécie de proezas culinárias.

A neve do convés
é removida todos os dias
antes que o calor
a transforme em gelo.

AGOSTO 1990

Terraplenagem a bordo

Sob a neve existe
um barco vermelho
e aconchegante onde
resido. Faz sete meses
que não vejo uma árvore,
e até a próxima árvore restam,
pelo menos, outros sete.
Metade de uma viagem
onde o tempo não pára
e nunca sobra.

O balanço de combustível
e suprimentos consumidos
até aqui é favorável.
Se o degelo, em três ou quatro
meses, não for complicado,
penso numa volta muito maior
que a vinda para cá.

As distâncias são relativas.
Hoje quase perdi o almoço
a trinta metros de casa,
quando caí na água pelo
buraco de respiração de uma
foca que estava todo coberto
de neve. Nada como um banho
gelado para abrir o apetite.
Ou para lembrar que não há
espaço para distrações...

Sete graus negativos

Sol tórrido e vento
morto, de camiseta
e óculos escuros
no convés, *Tristão
e Isolda* no último volume,
comendo goiabada cascão
com a ponta da faca, vendo
fotos do *Paratii* nos trópicos,
e recitando, na beira da lata,
Guilherme de Almeida
em código morse, em plena
segunda-feira!

Às vezes é bom não ter
testemunhas, nem bons modos
e não ter que dar explicações
a ninguém

Os dias já são quase tão
longos quanto as noites.
No rádio corre a boa nova:
"September, 6th, the sun
is rising at the South Pole".
Amanhã, no distante Brasil,
é dia da Independência. Vou
fazer galinha com polenta
e tirar uma foto
da bandeira congelada.

*Uma pista de esqui que começa
no convés e segue
até onde a vista alcança.*

Conserto do leme

Novo ataque na cozinha durante a madrugada! Acordei tarde, a tempo de testemunhar alguns vestígios. Uma garrafa de vinho quase terminada, pratos e copos espalhados, o forno aberto, restos de pão na chapa do aquecedor.

Há dois dias estou tentando sair para esquiar e não sobra tempo, nem termina a lista de revisões a bordo. Noites inteiras entre a oficina e a casa de máquinas. Consertei o vazamento na tubulação do sistema hidráulico, as novas molduras com filme duplo nas janelas eliminaram a condensação interna e o incêndio no aquecedor velho foi controlado a tempo.

Ainda nevando. Quando saí no convés para limpar as janelas e deixar a luz entrar, a foca de sempre me observava, misteriosamente grávida.

Das oficinas do Paratii *saiu um novo sistema de leme que só será testado em três meses, quando o gelo se for.*

OUTUBRO 1990

O mar se aproxima

Primeira tempestade da primavera! Uma faixa de mar abriu-se à frente do *Paratii* e mostrou algumas das pedras que eu não via desde o verão passado.

Marés de sizígia, muito baixas. O gelo da baía ficou preso na costa, e uma galeria subterrânea entre gelo e mar surgiu por algumas horas. Entrei debaixo da baía, me arrastando até alcançar a âncora grande para checar o estado de correntes e cabos — ainda perfeitos apesar do esforço.

Voltei à superfície aliviado. Os movimentos agora são violentos e é bom saber-se bem preso quando o degelo começar.

A poucos metros do mar livre o Paratii aguarda um degelo que não será pacífico.

A minha vizinha, Bárbara, cada vez mais grávida, anda inquieta pelas bordas da baía Dorian. ▸

Novos habitantes

Puxa, quem diria, depois de uma semana tão fria, tomar banho de sol, pelado, nas pedras quentes da "lavanderia". Na mesma ilha, tantas paisagens em tempos tão próximos!

O jovem Horácio não é um exemplo de simpatia, dobra de peso a cada semana e num descuido me mordeu o calcanhar.

O Neumayer anda cheio de vida. Entre calmarias e manchas de mar que crescem no velho canal a cada dia, ecoa o sopro das primeiras baleias da primavera. Não posso vê-las, mas sei que há um bando por aí.

Uma febril atividade tomou conta dos pingüins da península. Andam namorando e juntando pequenas pedras para os ninhos, compenetrados como quem sabe que não há tempo a perder.

Onze focas nasceram entre a baía Dorian e Port Lockroy.

Com o retorno do sol os gentoos iniciam o incessante trabalho de construção dos ninhos. ▸

Construtores de ninhos

De todas as maneiras
eu imaginei
a partida do gelo,
menos dessa.
A baía Dorian, inteira
e sólida, surpreendida por
uma maré excepcional
e um vendaval traiçoeiro, não
se quebrou e resolveu partir
por cima das pedras,
arrancando cabos e âncoras,
carregando barco e tudo.
Dezessete horas de desespero,
lutando contra o gelo, pulando
de placa em placa armado
de uma moto-serra para cortar
meus domínios em pedaços
e salvar o *Paratii* das pedras.
Exausto e surdo
com o escândalo da pequena
máquina, mas eufórico,
só parei quando o último
pedaço se foi. Da paz mais
completa ao caos, uma
distância tão pequena
e, subitamente em meio
à truculência dos elementos,
paz outra vez.
Estranho país este aqui.

Os gentoos andam por toda a parte à procura de pedrinhas para os ninhos.

OUTUBRO 1990

Os pingüins de Port Lockroy têm um visível interesse pelo velho e abandonado abrigo.

Port Lockroy

Não terminam
as atrações
de outubro.
Mal acabei
de recortar a baía em pedaços
e a minha paisagem perdeu
a mais conhecida montanha
dos arredores.

A ilha da fantasia,
um iceberg gigante com suas
duas grutas e um simpático
porto, encalhada aqui desde
abril, inclinou-se
e em segundos implodiu
e uma onda anular que
se formou trouxe de volta
ao interior da baía muitos
dos gelos bloqueados do lado
de fora.

O recém-inaugurado bote
de borracha começa logo mais
a rebocar os intrusos gelos
para fora, antes que
se enrosquem nos meus cabos.

As ossadas de baleia
da base abandonada de Port Lockroy
testemunham uma
atividade que não voltará.

Novo calendário

Novembro começou com sol. Dias imensos de interminável atividade, menos de dois meses para o solstício de verão e a impressão do tempo virando mais rápido do que as folhas do calendário.

Acabo de construir um novo calendário para o ano próximo. Triste será, em breve, não poder contar com um almanaque náutico atualizado e trabalhar em astronomia com as correções sobre o do ano passado ou depender apenas da calculadora.

Problemas burocráticos de viagens que atravessam as fronteiras do calendário.

Nem mesmo os vizinhos do Paratii *desconhecem problemas de calendário. Os gentoos trabalham dia e noite coletando pedrinhas e construindo os ninhos para os ovos que começam a ser postos nesse mês.* ▶

Pedrinha por pedrinha...

Um dos raros casos de ninhos com três ovos, ameaçado por um intruso elefante marinho.

Dez meses se passaram, o *Paratii* em algumas semanas terá cumprido o seu plano e estará pronto para navegar. Mas não terminam os preparativos de partida. Desmontagem das antenas externas, dos acampamentos de inverno e do laboratório, recuperação de todos os apetrechos ainda soterrados na neve, ajuste na mastreação, uma verdadeira corrida.

Casais de pingüins, a perder de vista, revezam-se nos ninhos sem parar, chocando como se houvesse um plano a seguir e um prêmio para o ovo que inaugura a nova geração. Talvez exista mesmo esse plano, mais de mil ninhos foram iniciados, reconstruídos dúzias de vezes e, enfim, terminados, pedrinha por pedrinha.

Alguns com mais de três mil delas, procuradas e trazidas, uma a uma, por cada casal. Uma prova de determinação e coragem de pequenos gigantes que se repete todos os anos...

Germanito, o primeiro filhote nascido em Dorian.

"Apocalipse Rockerie", a pingüineira na ilha Pleneau caoticamente invadida por elefantes marinhos e defendida com gritos e bicadas pelos valentes gentoos. ▶

DEZEMBRO 1990

Um encontro combinado

Domingo,
16 de dezembro.
O *Rapa Nui*
deixou o Brasil,
Jurumirim, com destino
à Antártica.

O Hermann cumpriu a sua
palavra e vem, com o Edu,
o Fausto e o Vilella, para cá!
Nosso tão sonhado encontro,
se tudo correr bem,
vai acontecer.

Tenho um mês e pouco
até rever a minha querida
escuna azul e uma
incontrolável coceira
de navegar outra vez. O barco
está abastecido e preparado,
e traz, apenas na pintura,
cicatrizes do inverno.

O caminho para a baía
Margarida, 240 milhas ao sul,
não está livre ainda,
mas é para lá que eu vou
enquanto eles não chegam.

*Filhotes saudáveis e gordos
de gentoo, quase independentes,
observam uma vértebra
de baleia.*

Os pingüins de "Apocalipse Rockerie"
enfrentam uma vida turbulenta com a chegada dos elefantes,
provavelmente vindos das colônias da ilha Anvers,
cinqüenta milhas ao norte.

Um barco outra vez!

O som da água correndo sob o casco, uma música que há onze meses não ouvia. O *Paratii* navega pela primeira vez depois do inverno. Impecável, esguio, como se tivesse acabado de nascer. Dois terços de sua vida se passaram na Antártica e o seu casco vermelho já demonstra certa intimidade com o gelo. Talvez excessiva.

Na manobra de atracagem em Palmer Station, a colisão com um iceberg quase levou o leme embora. Nada grave, além do susto.

Amanhã, retorno à baía Dorian e em seguida um mês inteiro de peregrinação rumo à baía Margarida.

Livre do gelo e descendo para o sul, o Paratii *atravessa os paredões do estreito de Lemaire.*

Uma skua, *ousada predadora de pingüins, observa as ilhas Argentinas, onde está a base inglesa de Faraday.* ▸

MOONSTONE

Skua *em Palmer Station,*
um eficiente predador de ovos
e jovens pinguins.

Voando entre as escalas

Filhote de skua
ainda indefeso, em Lagoon Island,
na baía Margarida.

Durante a última escalada, a padaria trabalhou a todo vapor nos preparativos do fim de ano. Massa para pizza, duas fornadas de pães salgados, uma de pão doce.

Nos pequenos saltos de navegação para o sul, entre canais, ilhas e gelos, não há tempo para refeições demoradas.

Armado de um arsenal de sanduíches e uma xícara de café sempre quente, vou corrigindo, com os dedos que sobram, o rumo a seguir.

Voltas e mais voltas, contornando obstáculos em direção a Cristal Sound.

Os cormorants *de olhos azuis constroem belos ninhos com algas trazidas das redondezas e, freqüentemente, dividem território com os pingüins gentoos.*

JANEIRO 1991

Olhando para o sul

Passou o Ano Novo entre fortes chuvas e neblina e, quando menos esperava, o velho sol apareceu. Os ninhos daqui, mais adiantados que os do norte, não param de progredir.

Ao voltar correndo para o barco hoje de manhã, passei sobre um elefante marinho que apenas abriu a boca e nem esboçou reação. Fora d'água, entre animais que não voam, são muito raros os temores.

O anel de gelo que bloqueia o caminho para a baía Margarida não se desmanchou ainda, e este vento contrário, no momento, não convida a âncora a subir. Uma boa razão para ficar mais uns dias esquiando nas encostas desertas de Hovegaard.

Um Blue eyed shag.
A cor dos olhos dá o nome a estes cormorants.

Uma choinis, *sócia de um* cormorant *de olhos azuis.* ▸

Ainda ancorado...

Na latitude 65° Sul. É apenas janeiro, mas reina a impressão de um verão que corre para o fim.

O solstício, há duas semanas passou e já faz algumas horas de crepúsculo, quase noite.

O sol de meia-noite — só vou encontrar abaixo do círculo polar, a partir de 67° de latitude Sul. A decisão de seguir para lá foi adiada por mais um vendaval de sessenta nós. Paciência. É preciso saber conviver com os humores do clima. Mas amanhã tentaremos outra vez.

Enquanto o Paratii *desceu para a baía Margarida, focas-de-weddell e pingüins tornaram-se os únicos habitantes da baía Dorian.*

Na ilha Pleneau
uma foca-leopardo
tenta surpreender, por mar,
os gentoos
mais distraídos.

Os elefantes marinhos
de Old Palmer são os únicos
ocupantes da antiga
estação americana. ▶

JANEIRO 1991

Planos em voz alta

Retornei ao pequeno aquecedor, depois da última onda de calor. Não é muito mais econômico que o grande, mas a sua chaminé não atrapalha as manobras de convés, e a portinhola de vidro, pela qual as chamas iluminam o interior do barco, é uma festa.

Nas noites de insônia ou durante os ataques noturnos à cozinha, é aí que passo as horas, olhando o fogo e fazendo planos para o verão seguinte, sentado num banquinho de madeira, que encontrei abandonado no verão passado.

A temperatura freqüentemente está acima de zero e já não há mais necessidade de adicionar querosene ao combustível.

Theobaldo, o elefante marinho que, após cinco meses de completo silêncio, só soltou a voz no dia da partida do Paratii.

JANEIRO 1991

Um barco que sabe para onde vai

Do alto de uma montanha avisto o *Paratii*, quieto, aguardando entre labirintos de canais e gelo. Que linda máquina esta que me trouxe até aqui. Não importa a direção ou o ponto que escolher, ela me levará até lá.

Conheço todos os seus parafusos, cada um de seus nervos e os poucos vícios. Todos os barcos têm os seus. O do meu é viajar. Em seu interior há uma pilha de cartas riscadas, cálculos e provisões preparadas não por acaso.

Em vez de apenas visitar estações antárticas, o *Paratii* vai percorrer as estações do ano ainda uma vez. Mas desta vez atravessando latitudes e não o tempo.

Amarrado no canal, entre as ilhas Pleneau e Hovegaard, na latitude 65º Sul.

Grutas que se abrem e somem com a erosão do gelo. ▸

Um continente de contrastes.
Entre rochas e gelos de muitas cores,
liquens, musgos e algumas
raras plantas negociam a existência.

JANEIRO 1991

O remo de Paraty

Novo contato-rádio com o *Rapa Nui*. A escuna azul está na latitude 52°04' Sul, descendo sem escalas para cá. Mais quatro graus para o sul, terá deixado o Horn para trás e entrado no Drake.

Que bruta saudade! Mais de um ano desde o nosso último encontro em Jurumirim.

Gelos imensos encalham por aqui, formando corredores estreitos e baías protegidas. Faz calor, mais de 3°C, e a água das bombas de porão resolveu, mesmo assim, congelar. Junto com o vento, foi-se o sol, que há dias não dá sinal de vida. Tempo calmo para viajar.

O remo feito em Paraty, um fiel companheiro nas visitas aos novos icebergs. ▸

JANEIRO 1991

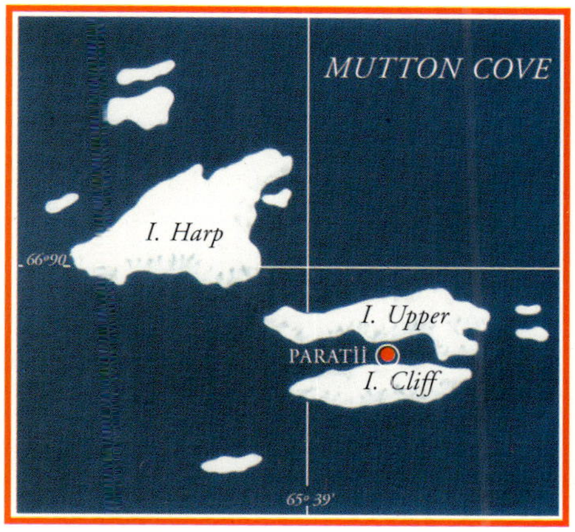

Raro e especial porto natural a Fenda de Mutton Cove. Surpreendido por um súbito vendaval do norte, fiz uma acrobática aproximação e, assim que consegui amarrar o *Paratii* nas pedras do interior da ilha, uma neve pegajosa e horizontal começou a cair.

As pedras negras e o convés vão se cobrindo rapidamente de branco. Só quem navega contra o vento e às cegas lá fora, pode imaginar a alegria de entrar num pequeno e bem abrigado porto.

Mutton Cove, o estreito porto cartografado pelo veleiro Penola, *em 1936, abrigou o* Paratii *durante três dias de mau tempo de nordeste.*

Lagoon Island, primeira escala abaixo do círculo polar, na espetacular e ampla baía Margarida. ▶

Outra vez para o sul

Em vez de fazer planos de partir foi mais fácil soltar os cabos e simplesmente sair. Em quinze minutos o meu provisório porto encheu-se de gelo, transformou-se num pesadelo e pôs o *Paratii* a caminho. Mal tive tempo de me despedir ou subir o bote inflável. Melhor assim.

A passagem para o sul, entre a ilha Adelaide e o continente, ainda está fechada e o caminho é contornar a grande ilha pelo mar aberto. Depois de um ano, ondas longas de mar alto, sol de dias inteiros e um bem-vindo vento norte. Ficar preso num porto é a pior sorte de um barco. Os poucos campos de gelo moído à frente não atrapalham a passagem e, se o vento não entortar, vou entrar na baía Margarida em menos de vinte horas.

Descobri novo vazamento numa conexão hidráulica do guincho. Resolvido a tempo. E nada mais. A minha máquina de viajar trabalha sozinha, devorando milhas, cortando o mar.

Eu sei que o bom humor do tempo não é duradouro, mas não há remédio, navegar por aqui é um exercício de respeito e paciência.

As horas custam a passar.

Logo abaixo do círculo polar a ilha Adelaide surge à esquerda.

Ao lado do Paratii, *o rebocador canadense trazido a bordo de um cargueiro, também prisioneiro do gelo na baía Margarida.*

O mais sonhado encontro da viagem: o Paratii, *chegando da baía Margarida, atraca a contrabordo do* Rapa Nui, *que acaba de chegar do Brasil. Dois barcos irmãos e cúmplices, cinco amigos juntos outra vez.* ▸

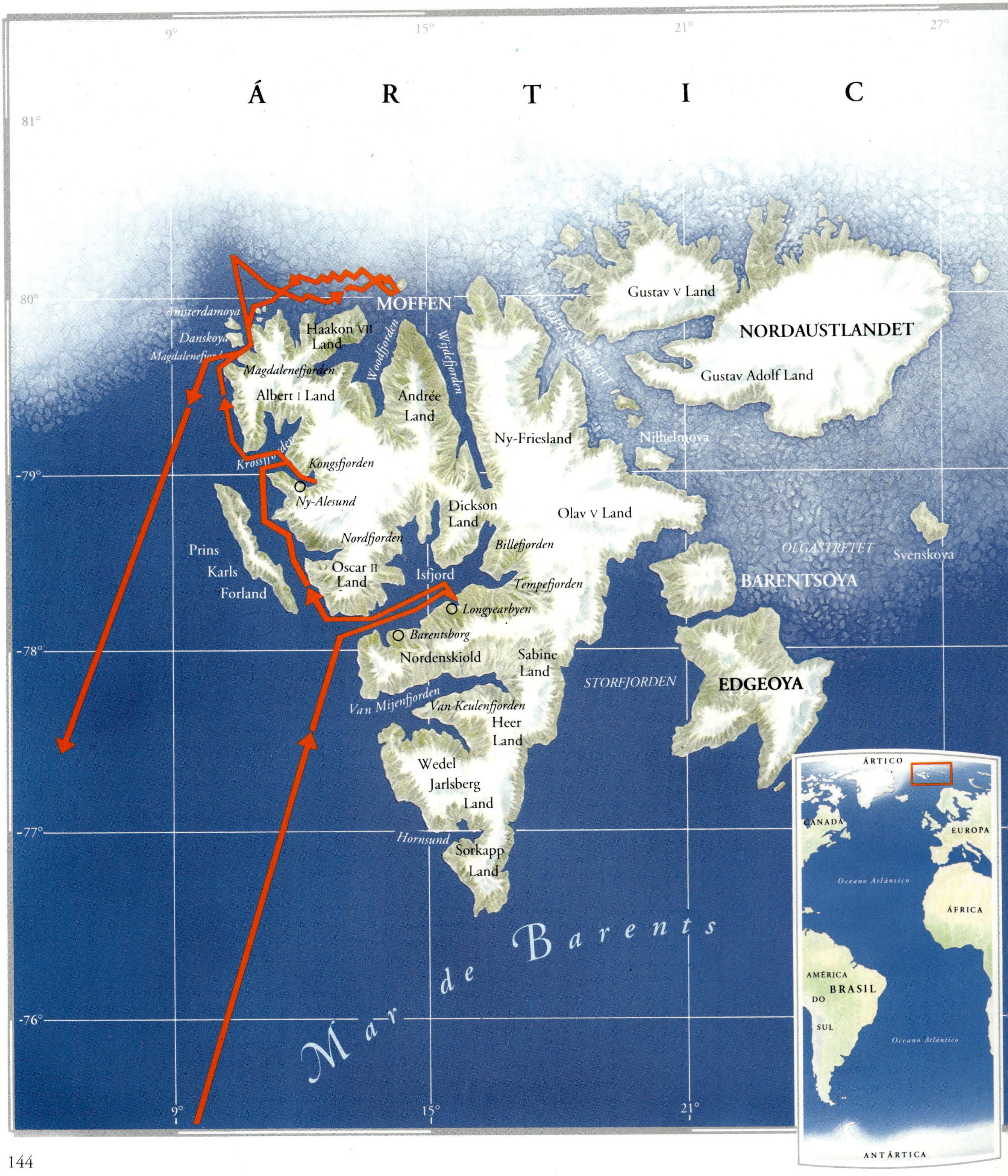

Á R T I C
9°
15°
21°
27°
81°
80°
-79°
-78°
-77°
-76°
MOFFEN
Amsterdamoya
Danskoya
Magdalenefjord
Haakon VII Land
Magdalenefjorden
Woodfjorden
Wijdefjorden
HINLOPENSTRETET
Gustav V Land
NORDAUSTLANDET
Gustav Adolf Land
Albert I Land
Andrée Land
Ny-Friesland
Nilhelmoya
Krossfjorden
Kongsfjorden
Ny-Alesund
Dickson Land
Olav V Land
Nordfjorden
Billefjorden
OLGASTRETET
Svenskoya
Prins Karls Forland
Oscar II Land
Isfjord
Tempefjorden
BARENTSOYA
Longyearbyen
Barentsborg
Nordenskiold
Sabine Land
STORFJORDEN
EDGEOYA
Van Mijenfjorden
Van Keulenfjorden
Heer Land
Wedel Jarlsberg Land
Hornsund
Sorkapp Land
Mar de Barents
ÁRTICO
CANADÁ
EUROPA
Oceano Atlântico
ÁFRICA
AMÉRICA DO SUL
BRASIL
Oceano Atlântico
ANTÁRTICA

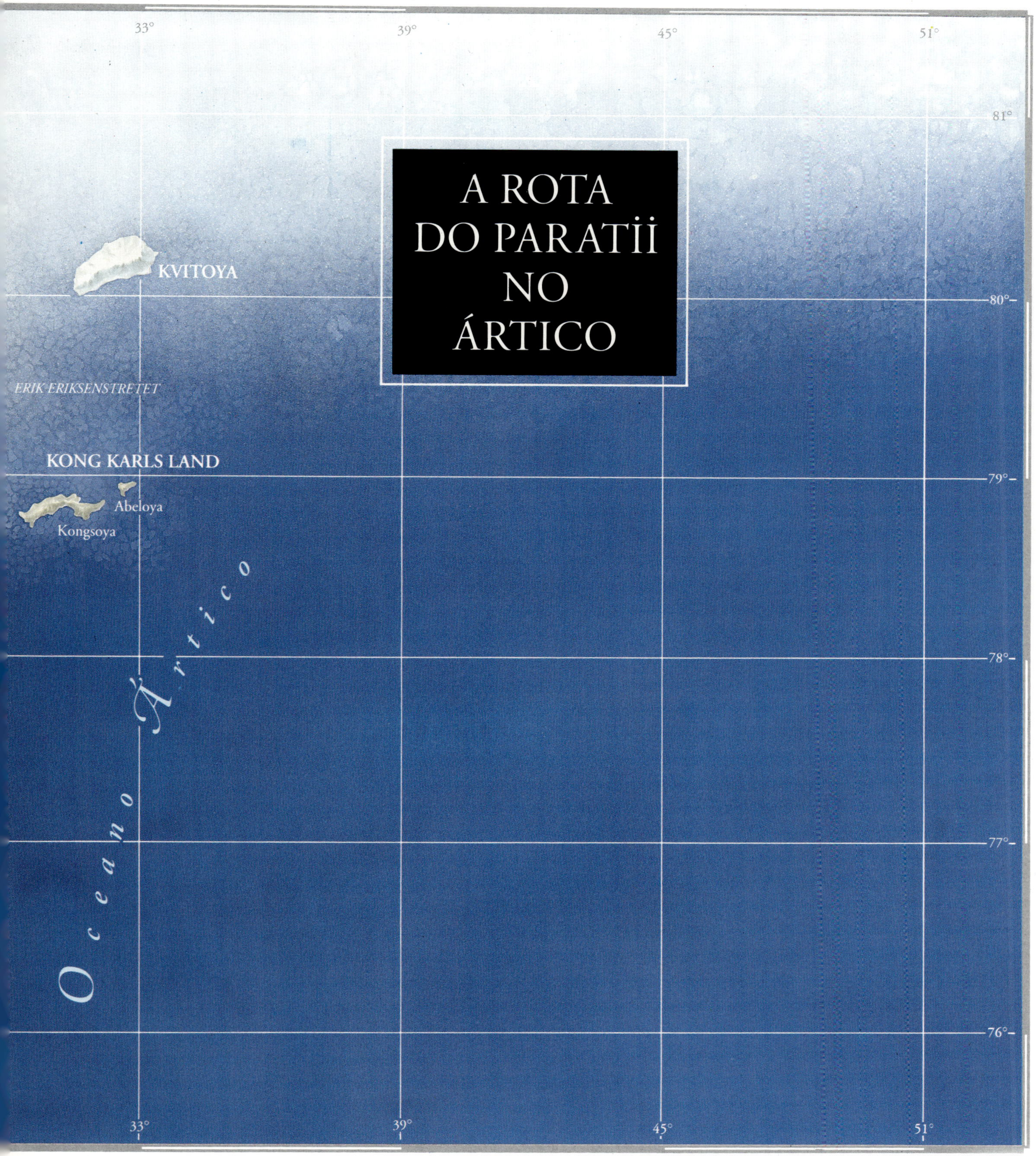
A ROTA
DO PARATII
NO
ÁRTICO
KVITOYA
ERIK ERIKSENSTRETET
KONG KARLS LAND
Abeloya
Kongsoya
Oceano Ártico
33°
39°
45°
51°
81°
80°
79°
78°
77°
76°

B-BBRR!! WERY COLD!

O mais próximo verão

"Para onde você está indo, Amyr?"
"Para o verão mais próximo, para o norte..."

"...às 15:39, soltei rapidamente o cabo que me prendia ao *Rapa Nui*, recolhi as duas defensas brancas e deixei a Antártica, rumo ao Ártico..."

"...porque muito pior do que não completar uma viagem, é nunca partir..."

FEVEREIRO 1991

O raio verde

Um espetáculo meteorológico permanente o Drake. Em dois dias, duas depressões seguidas, vindas do Pacífico, ventos de setenta nós, um mar descomunal, e quando menos imaginava, o *Paratii* encalha num banco de neblina, grossa como algodão, em absoluta calmaria.

Depois de levantar uma unha do pé, de escapar de um pesqueiro chinês e de saber que o *Rapa Nui* capotou de frente, a cem milhas do cabo Horn, acontece a maior surpresa da viagem.

Distraidamente observando o sol desaparecer no oeste, eu vi o meu mais velho sonho. Um raro e breve fenômeno. Num instante de luz, uma explosão esverdeada no horizonte que valeu toda a viagem: o raio verde, enfim.

A proa do Paratii *segue cortando temporais e calmarias durante cento e nove dias, até o círculo polar ártico.*

Ilhas Færoe, um rico
e hospitaleiro arquipélago
onde a cultura viking
há onze séculos
mantém-se preservada.

Cape Town... Færoe

Décimo sexto dia desde a passagem do Equador, navegando em orça apertada. Com o barco adernado para a esquerda, todas as coisas soltas no interior vão se alojando nos cantos esquerdos, e a vida inclinada vai nos ensinando a andar pelas paredes, a dormir do mesmo lado ou tomar café com os pés em cima da mesa de navegação. As velas ainda estão sujas da poeira vermelha do Saara que atravessa o Atlântico nessa época.

Há muitos navios, constelações que não conheço, e objetos estranhos derivando ao redor. Ontem encontrei uma linda bóia de pesca norueguesa que, com algumas manobras, subiu a bordo. Faltam menos de duas semanas para avistar terra outra vez.

O Paratii *alcança a cidade viking de Tórshavn cinqüenta e nove dias depois de deixar Cape Town.*

Gelo à vista

Tempestades e navios tornaram-se raros a partir das Færoe. Apenas os famosos bancos de neblina do mar de Barents preocupam. E madeiras.

Há muitas toras à deriva que desovam do Ártico e descem para o norte da Islândia. Madeiras que descem dos rios siberianos, derivam por séculos no gelo e vêm dar aqui.

Não vi gelo ainda, mas não deve demorar. O aquecedor pequeno trabalha no interior com a chama azulada e um agradável ronco.

Ancorado em Kongsfjorden, na latitude 79° Norte. Montanhas nevadas e um gelo diferente, tão distantes da baía Dorian.

Desse mesmo fiorde, Amundsen partiu para a sua travessia do Ártico no dirigível Norge. ▶

JULHO 1991

De volta ao gelo

Um velho amigo que parece menos agressivo, o gelo ártico. Ainda não consegui atravessar os campos de gelo ao norte, mas, pelo menos, quando estão desgarradas do *pack*, as placas servem como parada e porto para descanso.

As velas apenas enfeitam o mastro. Quase não há vento. O combustível do motor só pretendo usar quando encontrar uma passagem para o norte do arquipélago. Ofereci para a tripulação do *Sam*, um barco francês ancorado aqui, uma feijoada brasileira, que, apesar de provocar comentários incompreensíveis, rapidamente desapareceu.

Os quatro sujeitos que pretendiam circunavegar o Spitsbergen remando caiaques desistiram.

Uma ursa atacou um bote inflável e todos em terra parecem nervosos.

Poucas cicatrizes
para um casco
que bateu em muitos gelos.

Quase...

Inexplicavelmente, o braço da península que forma Blomstrandhalvøya ruiu em pedaços, fazendo surgir um canal e uma nova ilha. Irresistível atalho para se chegar na baía do lado norte.

Tentei passar com o *Paratii* e por duas horas pensei que nunca mais sairia. Verdadeira armadilha povoada de pedras afiadas, gelo e lama. Consegui sair batendo nas pedras, gritando impropérios e forçando caminho com a sofrida quilha.

Pequenas ousadias que em águas não cartografadas só a um barco forte se permitem.

No fundo de Blomstrandhamn, o canal recém-aberto onde o Paratii *encalhou. Um atalho que acabou não sendo usado para subir até Danskøya, última escala antes de Moffen.* ▸

O Paratii *aguarda em Danskøya para subir ao norte.*

Aguardando o degelo

Tal como os ninhos dos distantes gentoos, feitos de pedrinhas somadas uma a uma, noite e dia, o caminho para Moffen vai se fazendo de seguidos pontos plotados na carta nº 510 do Ártico, e de punhados de milhas que vou juntando a cada dia. Desviando de gelos, procurando um caminho, negociando com bancos de neblina, às vezes voltando atrás para tentar outra passagem. Navegação tensa e silenciosa para o norte.

Cada vez mais perto, calmaria suspeita, e a certeza fria de que basta um só erro para não chegar.

Madeiras de deriva que, durante a noite, aquecem as paradas.

Björnhamna, latitude 79° Norte

Andando entre as pedras de Danskøya, com a tripulação do *Sam*, encontrei um par de chifres de rena, recém-caídos. Há muitas por aqui, curiosas e assustadas, quase sempre com uma cria nova.

Os *puffins* e outras aves que não conhecia antes de passar as Færoe fazem os ninhos nas encostas mais altas, mas foi na orla, onde larguei o bote de borracha, que dei com verdadeiras viajantes: as pequenas *tern* árticas. Uma avezinha branca de viseira negra que numa incrível navegação todos os anos migra da Antártica ao Ártico em busca de sol.

Neste pedaço do mundo de grandes distâncias e extensões geladas, há seres navegadores de perfeitos e incompreensíveis instrumentos, que um dia eu espero saber usar.

O Paratii *atraca ao lado do* Sam *em Björnhamna, antes de seguir para Moffen.*

Barcos

F*ædor Dostoievski*, o impressionante navio russo que um amigo americano abordou em Cape Town, quatro meses atrás, saltando do mastro do nosso barco, está em Magdalena Fjord, próximo daqui.

Seria engraçado encontrá-lo outra vez. Incrivelmente pequeno o mundo dos barcos. *Dahu*, o veleiro suíço que foi vizinho nas Færoe, não vai mais subir para cá, mas aceitou o convite para conhecer Paraty, e da Islândia segue rumo ao Brasil.

As distâncias são como os meridianos que se juntam nos extremos da Terra; têm uma estranha medida.

Todos os lugares que ficaram para trás parecem próximos daqui.

No ancoradouro de Björnhamna, última escala antes de Moffen, vestígios do tempo em que a caça foi atividade importante no Ártico.

Moffen

Cinqüenta e nove subidas no mastro preto do *Paratii* nas últimas vinte horas, à procura de uma mancha escura no horizonte.

Às 3:15 da manhã, a neblina levantou-se e, sem o menor aviso, diante do meu nariz surgiu a coroa da ilha Moffen, com sua lagoa interna brilhando ao sol.

Após dois dias sem dormir, uma pacata manhã de domingo — a maior manhã de toda a viagem.

Um rápido café na cozinha, chocolates, e filmes no bolso do casaco vermelho, vou, com o *Vagabundo* e o último remo sobrevivente a bordo, tocar a ilha dos meus sonhos.

Bancos de neblina e canais móveis confundem o caminho para Moffen

O Paratii *ancora na latitude 80º02' Norte,*
em frente à ilha Moffen,
no dia 21 de julho, às 3:40 GMT.

Bóias coloridas de pesqueiros
e madeiras da Sibéria e outros objetos
derivam até aqui.

Uma coroa de pedrinhas

Gelo fechado por toda parte, o caminho de volta não vai ser direto nem fácil. Tentando encontrar canais abertos e certos ainda tenho pela frente pelo menos duas dúzias de escaladas no mastro. Pouco importa. A alegria verdadeira de navegar por aqui sempre dá um certo trabalho.

A neve do convés derreteu, os cabos secaram e no diário acabo de anotar a latitude máxima de 80°03' Norte.

Um campo flutuante que se estende daqui até o pólo Norte. Última escala nos gelos do Ártico.

JULHO 1991

Adeus, grande norte

E antes que pudesse acenar ou dizer adeus, as montanhas nevadas do Spitsbergen desapareceram e o casco branco do *Sam*, com seus quatro alpinistas, foi engolido por mais uma neblina.

Teria sido bom continuar aqui, e descer pouco a pouco para o sul descobrindo lugares por onde não passei. Mas escalar montanhas não é viver nelas, é vivê-las cada vez mais.

O trabalho do meu barco vermelho não é seguir o vento e sim um rumo. É viajar. Ir para um lugar e voltar. Não apenas partir, mas partir sempre. E, para isso, seria bom chegar em casa. Inteiro. E ancorar em Jurumirim outra vez.

O Spitsbergen fica para trás. Faltam apenas sete mil milhas para ancorar no Brasil.

Mar frio

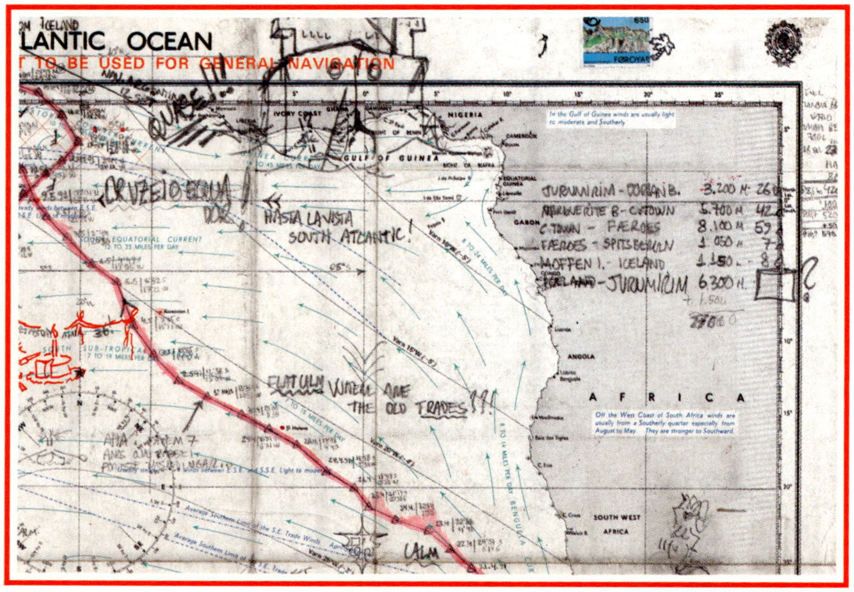

Quarta semana desde a partida da Islândia. Todas as velas em cima, sol e vento firme a favor. Avançamos lindamente em direção ao Equador. Fiz nova coleta de pequenas caravelas brancas de esponja que flutuavam no mar aos milhares, não sei o que são.

O despertador de quarenta e cinco minutos acabou de tocar mas continuei nu, sentado no convés, imóvel, como um hindu, lendo o mesmo livro, ainda ouvindo um estranho barulho. Levantei os olhos... e... Não! Navio! Menos de cem metros para a colisão...

Um mínimo descuido de vigília e o maior susto de toda a viagem:
o Paratii *está a setenta metros de uma colisão*
com o porta-container argentino Mar Frio, *da qual escapou*
por apenas quinze metros.

OUTUBRO 1991

Latitude 44°40' Oeste,
Longitude 23°12' Sul.
Jurumirim outra vez

Travei a corrente da âncora nos doze metros de profundidade; amarrei as velas e desliguei o motor. Súbito silêncio em Jurumirim. Adoro este lugar.

Os coqueiros continuam crescendo verdes como nunca, ao redor tudo parece em ordem. Faz cinqüenta dias que não piso em terra. Seiscentos e quarenta e dois dias que, deste mesmo canto, parti para a Antártica.

Que bruta felicidade. Numa sexta-feira deserta, de sol escondido, sem avisar ninguém, simplesmente chegar.

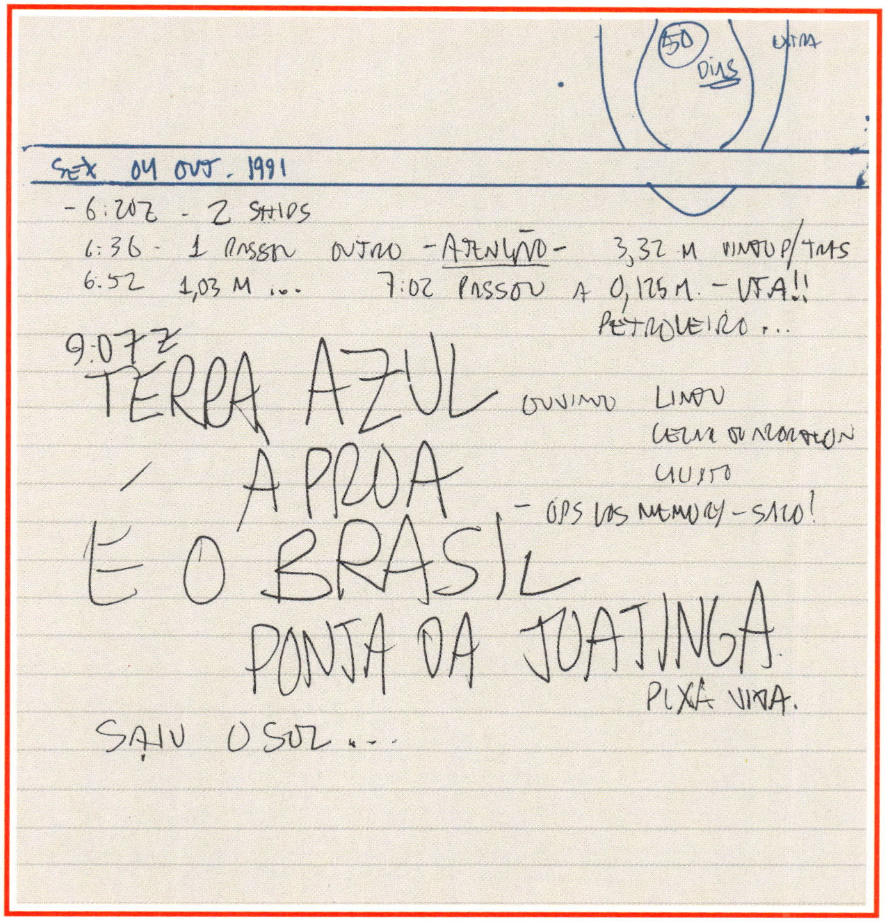

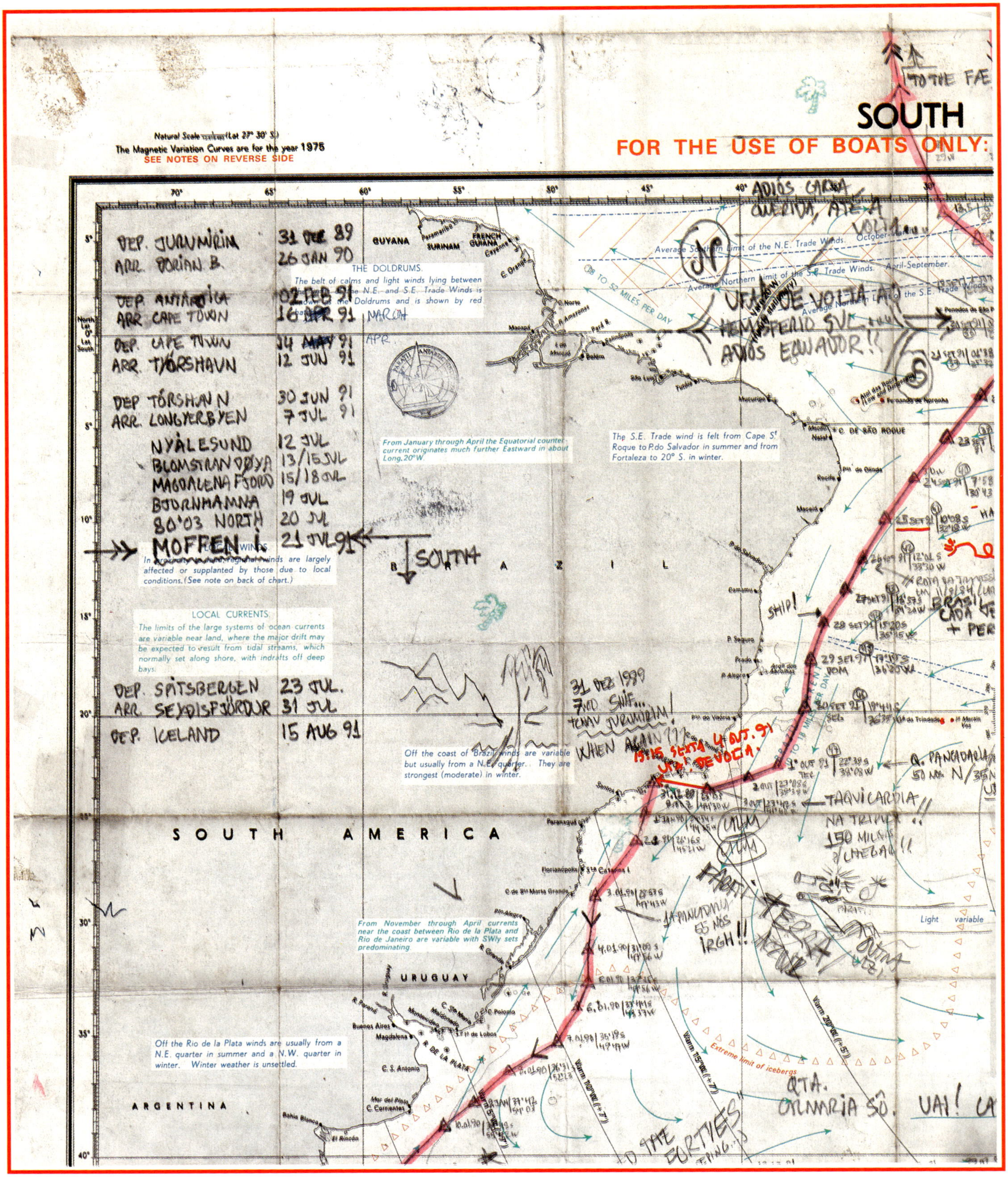
SOUTH
FOR THE USE OF BOATS ONLY:
The Magnetic Variation Curves are for the year 1975
SEE NOTES ON REVERSE SIDE
THE DOLDRUMS.
From January through April the Equatorial counter current originates much further Eastward in about Long. 20°W.
The S.E. Trade wind is felt from Cape St Roque to P. do Salvador in summer and from Fortaleza to 20° S. in winter.
LOCAL CURRENTS.
The limits of the large systems of ocean currents are variable near land, where the major drift may be expected to result from tidal streams, which normally set along shore, with indrafts off deep bays.
Off the coast of Brazil winds are variable but usually from a N.E. quarter. They are strongest (moderate) in winter.
From November through April currents near the coast between Rio de la Plata and Rio de Janeiro are variable with SWly sets predominating.
Off the Rio de la Plata winds are usually from a N.E. quarter in summer and a N.W. quarter in winter. Winter weather is unsettled.
SOUTH AMERICA
URUGUAY
ARGENTINA
GUYANA
Extreme limit of icebergs
DEP. JURUMIRIM 31 DEZ 89
ARR. DORIAN B. 26 JAN 90
DEP. ANTARTICA 02 FEB 91
ARR. CAPE TOWN 16 APR 91
DEP. CAPE TOWN 14 MAY 91
ARR. TÓRSHAVN 12 JUN 91
DEP TÓRSHAVN 30 JUN 91
ARR. LONGYERBYEN 7 JUL 91
NYÅLESUND 12 JUL
BLOMSTRANDØYA 13/15 JUL
MAGDALENA FJORD 15/18 JUL
BJORNHAMNA 19 JUL
80°03 NORTH 20 JUL
MOFFEN I. 21 JUL 91
DEP. SPITSBERGEN 23 JUL.
ARR. SEYDISFJÖRDUR 31 JUL
DEP. ICELAND 15 AUG 91

Partir

O *Paratii* deixou a pequena baía de Jurumirim em 31 de dezembro de 1989 para fazer a primeira escala de sua viagem na baía Dorian, ilha Wiencke, em 26 de janeiro do ano seguinte. Permaneceu um ano inteiro na Antártica, oito meses aprisionado no gelo, atravessou o círculo polar antártico em janeiro de 1991 e o círculo polar ártico em junho do mesmo ano.

Em 4 de dezembro, vindo sem escalas da Islândia, fundeou discretamente na mesma baía de Jurumirim de onde havia partido — um barco impecável, de casco vermelho. Que não evitou o mau tempo nem se escondeu em portos. Que atravessou todas as estações do gelo e, em vinte e sete mil milhas, só enfrentou um risco de verdade: não partir.

E um dia, o último,
o Theobaldo
quebrou o silêncio
e gritou como
um elefante doido.

FOTOS

Ashraf Klink, 146
Fausto Chermont, 11 a 15
Hermann A. Hrdlicka, 140/141, 178

MAPAS

Sírio Cançado

PRODUÇÃO

Ana Maria Bergo Yahn
Ricardo Maluf
Sérgio Myashyro
José Luiz Seusa
Carlos Tomio Kurata
Elisa Braga
Fabiana Roncoroni
João da Silva Prado
Teco de Souza

EDITORAÇÃO ELETRÔNICA E FOTOLITOS

Graphbox

IMPRESSÃO

Gráfica Editora Hamburg

PLANISPHÈRE
Limites des glaces flottantes
AMÉRIQUE DU NORD
DOMINION
ALASKA
(E.U)
Cap Barrow
Cap Oriental
Cap du Pce de Galles
Tre de Wrangel
Tre de Banks
Tre Victoria
Terre de Baffin
MER DE BAFFIN
Upernivik
Disco
Godhavn
Godhaab
Frederickshaab
Cap Farewell
Cercle
Polaire
Arctique
Islande
Pie de Melville
Ile Southampton
BAIE D'HUDSON
Labrador
York
L. Winnipeg
L. Athabaska
COLOMBIE BRITANNIQUE
I. Vancouver
I. Kadiak
Iles Aléoutiennes
Cable projeté
R DE BERING
CANADA
Quebec
Ottawa
Lac Supérieur
Chicago
TerreNeuve
Cable de 1865
New York au Havre
Portland
Boston
New York
Washington
Cap Hatteras
ÉTATS UNIS
San Francisco
S. Diego
St Louis
Cincinnati
Galveston
Nle Orléans
Floride
GULF STREAM Courant du Golfe
Iles Açores
Terceira
Ie Bermudes (A)
I. Madère
Ies Canaries
Lisbonne
MAROC
Timbouctou
Ie du CapVert
Cap Vert
SÉNÉGAMBIE
San Francisco à Yokohama 20 jours
San Francisco à Honolulu
Iles Sandwich
Honolulu
Hawaï
Golfe du Mexique
Mexico
La Havane
Cuba
Haïti
Porto Rico
Guatemala
San Salvador
Panama
GRANDES ANTILLES
PETITES ANTILLES
MER DES ANTILLES
VENEZUELA
COLOMBIE
Bogota
Quito
Guayaquil
ÉQUATEUR
GUYANES
Cayenne
Courant Equatorial du Nord
Contre courant Equatorial
Courant Equatorial du Sud
Courant Equatorial
Equateur
Iles Galapagos
I. Fanning
I. Walker (E.U)
I. Christmas (E.U)
I. Baker (E.U)
Ie Phénix
Ies Marquises (F)
Iles Samoa
Iles Tuamotou (F)
Ies de la Société (F)
OCÉANIE
OCÉAN PACIFIQUE
OCÉAN ATLANTIQUE
AMÉRIQUE DU SUD
BRÉSIL
Belem (Para)
Pernambuco
Bahia
Diamantina
Rio de Janeiro
Cap Frio
I. de l'Ascension
Ie Ste Hélène
BOLIVIE
La Paz
Lima
Callao
PARAGUAY
Assomption
RÉPUBLIQUE
Parana
URUGUAY
Montevideo
Buenos Ayres
ARGENTINE
Rio de la Plata
Valparaiso
Santiago
Ie Juan Fernandez
Valdivia
I. Chiloé
Patagonie
Bie S. Jorge
Dt de Magellan
Tre de Feu
Cap Horn
I. des Etats
Ies Falkland ou Malouines (A)
Géorgie du Sud
Ies Sandwich
Ies Orkney du Sud
Ies Shetland du Sud
Tre Louis Philippe
Ile Pierre Ier
Tre Alexandre
Ie Chatam
Melbourne à Liverpool 62 jours
OCÉAN GLACIAL
Cercle
MER GEORGES IV